KB103141

순간순간 셀폰시

선우보 시사진집 2

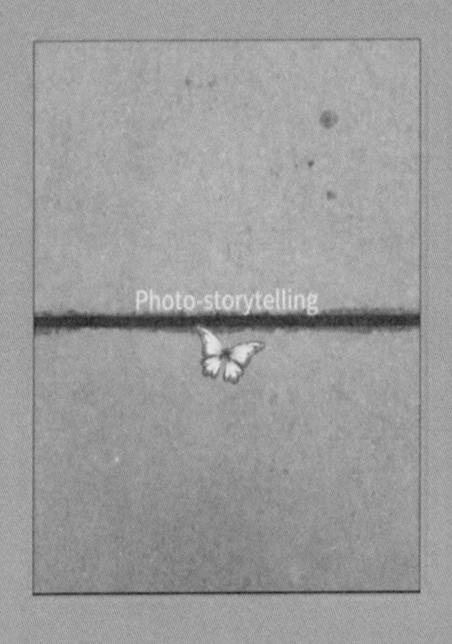

부크크

[내용]

[작가 소개]

선우보
시인/소설가/포토스토리텔러
[woobostory@gmail.com]

수상
2018년 한국문협 밴쿠버지부 신춘문예 시 부문
2021년 한국문협 밴쿠버지부 제1회 늘샘 반병섭 문학상
2021년 캘거리 문인협회 디카시 공모전
2023년 한국문협 밴쿠버지부 신춘문예 소설 부문

출품
2022년 제 2회 캐나다 사진 동호회(KCPA) 작품 전시회
2023년 제 3회 캐나다 사진 동호회(KCPA) 작품 전시회

저서
2024년 전자책 순간포착 셀폰시 (시사진집 1)
2024년 종이책 순간순간 셀폰시 (시사진집 2)

[프롤로그]

시를 쓰는 나의 태도는 매우 간명하다. 시상이 떠오르면 바로 메모하고, 틈나는 대로 살피다가 진솔하게 글로 엮는다. 사진을 찍을 때도 인위적으로 구성하거나 조명 장비 등을 사용하지 않고, 자연 그대로 담아내는 것을 선호하는 편이다.

어느새 셀룰러폰으로 사진을 찍고 시를 쓰는 작업은 내 일상이 되었으며, 지난날의 꾸준한 작품 활동과 축적된 경험은 고유한 시선을 갖게 해 주었다. 앙리 카르티에 브레송이 사진을 찍는다는 것은 달아나는 현실 앞에서 모든 능력을 집중해 그 숨결을 포착하는 것이라고 말했는데, 나는 나름대로 삶의 순간을 포착하여 창작한 작품을 『셀폰시』라 이름하였다.

이 책을 통해서 독자들이 잠시나마 자신의 삶을 되돌아볼 기회를 얻거나, 신선한 감흥을 즐길 수 있다면 필자에게는 더할 나위 없는 기쁨이라 하겠다. 이 자리를 빌려 졸작을 기꺼이 선택한 독자들에게 심심한 감사의 말씀을 드린다.

2024년 3월
선우보

[목차]

[목차]

가을

곰비임비 수놓는
찬란한 시절이다

각자도생(各自圖生)

삶은 상대 없는 전쟁
오늘은 또 다른 전투

개같이 벌어?

개같이 벌어서 정승같이 살면 된다고?
나는 소같이 일하고 사람답게 살겠어!

금시작비(今是昨非)

달마가
왜 두눈을 부릅뜨고 사는지
확연히 알았다

깃털처럼

너처럼
가볍게 아주 가볍게
그렇게
살고 싶어

꿈

암흑 속
한 줄기 빛 같은
그래서 더 사랑스럽고
소중한

나는 누구인가

고작해야
미운 짓 하며 살거나
고운 짓 하며 살거나
둘 중에 하나

낙서

심플한
당신 때문에
무심히
기분 좋아요

난 외롭지 않아요

언젠가는
친구가 찾아와
함께할테니

남편과 아내

다정하게 살다
때가 되면 홀로 떠나야 할
이 세상에 단둘뿐인
우리

담배

죽음의 경고를
무시하는 당신은
도대체
누구인가요

더 중요한 건

선택보다 집중이고
의지보다 실천이야

도시 까치

쓰레기통에서
먹이를 찾는 신세
가슴앓이 하며
오늘을 산다

들꽃처럼

청초한 자태와
은은한 향기로
담담하게 사는
너를 닮았으면

만남

물방울 하나도
짝을 만나면 이리 좋은데
온화한 사람을 만나면
얼마나 기쁜가

메멘토 모리(Memento mori)

주검을 보아라
더럽다 무섭다 하지마라
살아있는 것들
다 죽는다

몸이 말을 안 듣는단다

누님과 형님이
숨쉬기 힘들고 무릎이 아프단다
뒷날을 생각하니
슬프고 가슴 아프다

믿음

철통같은 믿음도
방심하면
일순에 무너진다

백척간두(百尺竿頭)

너는
절박한 순간에도
참으로
태연하구나

복권

익명의 기부
당첨은 선물

부끄러운 생물

꺾이고 부러지고 잘려도
나무는 말이 없는데
꺾고 부러뜨리고 자르는
너는 말이 많구나

부러버라

나는
스케치도 못해 쩔쩔매는데
너는
어찌 그리 잘 그리냐

사랑에 관하여

만나서 가슴이 뛰면 그만이니
사랑한다고 말하지 말아라
보기만 해도 좋으면 그만이니
사랑하냐고 묻지도 말아라

사진

어머님은 다 태워버리셨고
아내는 정리하며 머뭇대는데
나는 사진을 찍는다

사진작가

자연의 품에서도
일상의 순간에도
한 조각 퍼즐을 찾는
눈빛이 형형하다

상상력

일어나는 그때마다
주저하지 말고
꿈나래를 활짝 펼쳐라

새로운 일상

혼돈의 시대를 마주한 친구들아
세상이 빗장을 걸어 잠갔어도
마음의 문을 열고 살아라

생명의 힘

세상을 움직이고
만물을 변화하며
선순환을 이룬다

생사일여(生死一如)

이처럼
한몸두일 하는 짓
다 보여주어도
모르겠느냐

셀폰병

들여다본다
목이 휠 정도로 열심히
온종일 뒤진다
망설임없이

순간순간

한 생각 할 때마다
한 걸음 옮길 때마다
조심하고
또 조심해야 해

순간포착

한순간을 붙잡고
흥분의 도가니에 빠져
당차게 매달리는
천진한 놀이

술

삶을 파괴하는
인류의 적
세상에서 사라져야 할
죄악의 늪

시인의 꿈

순수함을 가지고
진실함을 지키며
후덕함을 나누리

신망과 사랑

세상을 바꾸는 건 신망과 사랑인데
신망이 싹트는 건 꾸준함 때문이고
사랑이 싹트는 건 간절함 때문이야

십시일반(十匙一飯)

가난 구제는 나라도 못 한다
백성이 원하는 것은 하늘도 따른다
그러니
내가 나서야 한다

아무리 힘들어도

찡그리지 마
현실을 인정하고
즐겁게 살아

아슬한 부부

함께 살면서도
한곳을 향하지 않으며
결별을 잉태한
슬픈 관계

아집

제 맘대로
심술궂게 괴롭히며
다 망가뜨리는
가장 못된 짓

어느 할매가 한 말

60년 가까이 해로했으니
이만하면 됐어
건강하게 살다
한날한시에 같이 가면 좋겠어

여시아문(如是我聞)

사람들아
너도 나도 생명이다
모두가 보배로운 존재란 사실을
외면하지 마라

우연한 깨달음

너무 슬퍼하지 않기로 했다
너무 기뻐하지 않기로 했다

웃으며 살아야 해

삶이 고단해도
마음만은 따뜻해야 해
밝고 명랑하게

이제는 그만

무엇을 위해
매일같이 달리고 있나
멈추고 싶어
편안히 쉬고 싶어

인공지능

네가 펼치는 신세계가
누구를 위하고
무엇을 위해서
어디로 치닫고 있는지 몰라
두렵구나

인생살이

까딱하면
자빠지고 무너지니
조심해야 해

저 높은 곳을 향하여

힘차게 올라가자
승리하는 그 날까지
굳세게 나아가자

전도하는 법

믿으라 권유하지 말아요
스스로 사랑을 실천해요
그리고 묵묵히 기다려요

죽음의 문

되돌아
나올 수 없는
누구든지
들어가야 할

직업을 고를 때는

귀천을 따지지 말고
세상을 돕는 일인지
사람을 아끼는 일인지
살펴봐야 해

키오스크(Kiosk)

언텍트(Untact)가 좋단다
꼴 보기도 싫고
말 섞기도 싫고
각자 살면 된단다

폐차가 건넨 말

주인 생각이 많이나
함께 살며 정이 많이 들었거든
세상에서 제일 슬픈 건
잊힌다는 거야

하늘이시여

어찌하여
보살피지 않으시나요
부디
돌봐주세요

하루하루

너무 애쓸 것 없어
아이들 처럼 재미있게 살면 돼
그러면 그만이야

[에필로그]

세상 사람들이 한 번뿐인 인생이니 나답게 살아야 한다고 부르짖으며 당차게 산다. 대부분 남의 삶에는 관심이 없고 나만 생각하며 세상을 살고 있다는 생각마저 들어 씁쓸하다. 심지어 어느 유명 연예인은 각자도생하는 거라며, 성공방정식으로 독고다이를 주장하기도 했다. 물론 자신의 목소리에 먼저 귀를 기울이는 마음가짐은 긍정적인 면도 있지만, 참으로 삭막한 세상이란 생각을 지울 수 없다.

분명히 누군가의 삶을 책임져 줄 사람은 없다. 하지만 이 세상에 태어난 이상 사람들과 어울리며 지내야 할 운명 또한 피할 수도 없다. 그러면 어떻게 더불어 살며 나다운 삶을 즐길 수 있을까? 나는 그 실마리를 이렇게 권하고 싶다. "늘 따뜻한 마음으로 세상을 바라보며, 공감과 배려 그리고 나눔을 먼저 생각하자!" 아래에 한편의 졸시를 담고, 독자의 건강과 평화를 기원하며 글을 맺는다.

시장에서 아낙네가 이런 말을 했다. “내가 싫은 걸 어찌 시키노?” 논어에서 공자님이 이런 말을 했다. “己所不欲 勿施於人 (자기가 하기 싫은 일은 남에게도 하게 해서는 안 된다)” 성경에서 예수님이 이런 말을 했다. “Love your neighbor as much as you love yourself. (네 이웃을 네 몸과 같이 사랑하라)” 세 사람 하는 말 다 똑같은 기라. 무어시 다르노? 그저 남 괴롭히지 말고 착하게 살면 그만인 기라. 그라믄 된다!

2024년 3월
선우보

[책 소개]

순간순간 셀폰시

발 행 | 2024년 3월 25일
저 자 | 선우보
펴낸이 | 한건희
펴낸곳 | 주식회사 부크크
출판사등록 | 2014.07.15.(제2014-16호)
주 소 | 서울특별시 금천구 가산디지털1로 119 SK트윈타워 A동 305호
전 화 | 1670-8316
이메일 | info@bookk.co.kr
가 격 | 10,900원

ISBN | 979-11-410-7659-7

www.bookk.co.kr

* 본 책에는 작가의 뜻으로 맞춤법 및 띄어쓰기를 변경한 경우가 있습니다.